DATE DUE

**Disc
Enclosed**

Teléfono: 19 46 06 20
Fax: 19 46 06 55
e-mail: ediciones@editorialprogreso.com.mx
e-mail: servicioalcliente@editorialprogreso.com.mx

Desarrollo editorial: Víctor Guzmán Zúñiga
Dirección editorial: Yolanda Tapia Felipe

 Proyecto y realización: Sandra Donin. Proyectos Editoriales
Diseño: Sandra Donin y Martha Cuart

Revisión editorial: Cyntia Berenice Ruiz García

Derechos reservados:
© 2008 Mariana I. Pellegrino (autora)
© 2008 Mariana Nemitz (ilustradora)
© **2008 EDITORIAL PROGRESO S.A. DE C.V.**
  Naranjo 248, col. Santa María la Ribera
  Delegación Cuauhtémoc, C.P. 06400
  México, D.F.

Con mi lengua
(Serie Con mis...)

Miembro de la Cámara Nacional de la Industria Editorial Mexicana
Registro núm. 232

ISBN: 978-970-641-723-7 (Serie Con mis...)
ISBN: 978-968-436-708-1

Impreso en México
Printed in Mexico

1ª edición: 2008

Con mi lengua

Con mi lengua

Mariana I. Pellegrino

Mariana Nemitz

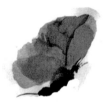

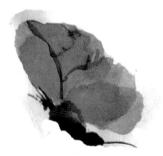

PROGRESO
EDITORIAL

CON MI LENGUA ESTOY DE FIESTA...

ADORO EL SABOR ACOLCHADO DE ESTE PASTEL

DE CHOCOLATE Y DURAZNOS.

¡Y SONRÍO! SIEMPRE SONRÍO

CUANDO SABOREO ALGO QUE ME GUSTA TANTO.

ES QUE CON MI LENGUA ME ENTUSIASMO MUCHO
CON LOS SABORES ENDULZADOS:
GALLETITAS, GOLOSINAS Y DULCES
DE TODOS LOS IMAGINADOS.

MAMÁ NO ME DEJA COMER TANTOS…
PERO YO SIEMPRE ENCUENTRO UNA EXCUSA
PARA DISFRUTARLOS.

CON MI LENGUA TAMBIÉN

ME LLEVO SORPREZASOS...

¡AYYYY! CÓMO PICA LA PIMIENTA

Y LOS BOCADOS SALADOS

CON MI LENGUA

A VECES NOS PELEAMOS...

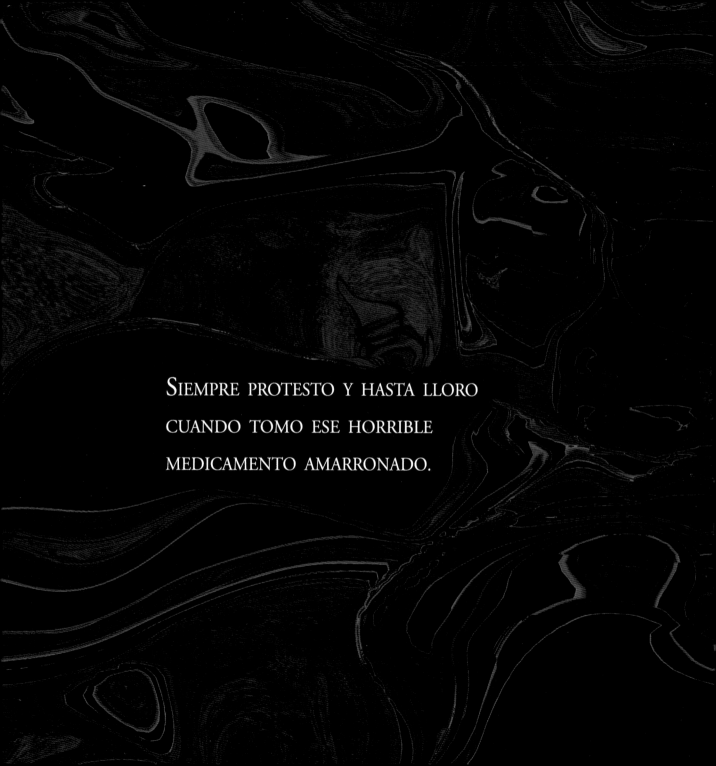

SIEMPRE PROTESTO Y HASTA LLORO
CUANDO TOMO ESE HORRIBLE
MEDICAMENTO AMARRONADO.

PERO CON MI LENGUA TAMBIÉN
INVENTO GUSTOS DISPARATADOS...

ME IMAGINO EL SABOR DE LOS JAZMINES
Y HASTA EL DEL PASTO MOJADO.

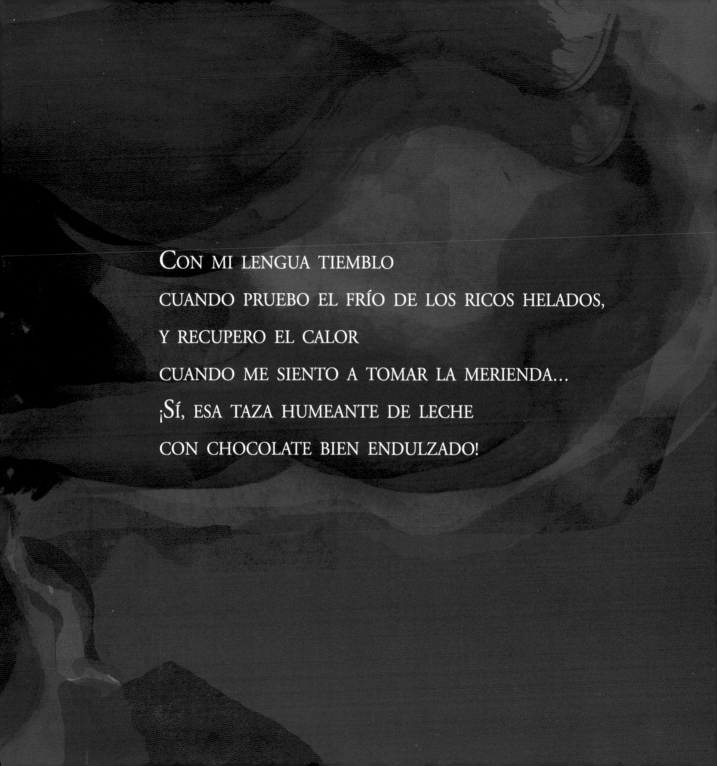

Con mi lengua tiemblo

cuando pruebo el frío de los ricos helados,

y recupero el calor

cuando me siento a tomar la merienda...

¡Sí, esa taza humeante de leche

con chocolate bien endulzado!

CON MI LENGUA TAMBIÉN HAGO TRAVESURAS…
COMO ESA VEZ QUE COMÍ VARIAS HORMIGAS
Y HASTA CHUPÉ UN GUSANO PEGAJOSO
QUE TREPABA POR MI NARANJO.

Con mi lengua empiezo el día de la mejor forma…
¡Desayunando croissant en la cama
con mamá, papá y mis hermanos!

Con mi lengua me gusta estar
en familia y con mis amigos...
Siempre comidas ricas nos reúnen
para pasar una noche cantando y bailando.

¡Qué sabores tan estimulantes

nos regala la vida

para compartir y emocionarnos!

La primera edición de *Con mi lengua*
de Mariana I. Pellegrino, se terminó de imprimir en octubre de 2008
en los talleres de la Editorial Progreso S.A. de C.V.